Barbie et la Magie de la Mode

P'TIT TOME
Albin Michel

Le monde de Barbie

Barbie

est l'actrice la plus talentueuse de sa génération. Elle est douée et ses fans sont très nombreux. Et pourtant, un jour, elle va en douter...

Teresa et Grace

sont les meilleures amies de Barbie et aussi ses deux plus grandes admiratrices ! Elles vont tout faire pour aider Barbie.

Ken

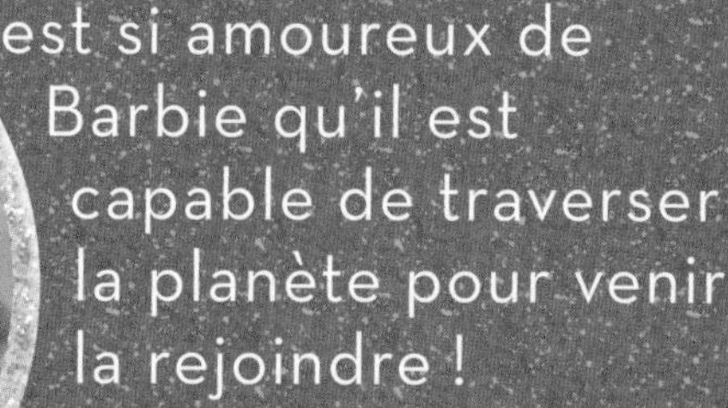

est si amoureux de Barbie qu'il est capable de traverser la planète pour venir la rejoindre !

Millicent

est la tante de Barbie. Elle tient sa propre maison de couture à Paris. Ses créations sont magnifiques. Même si certaines critiques ne sont pas du même avis…

Alice

est apprentie dans l'atelier de Millicent. Et c'est Barbie qui va découvrir qu'elle a de vrais doigts de fée pour confectionner les plus belles robes.

Jacqueline et Delphine

Jacqueline est propriétaire de la boutique en face de celle de Millicent. Sans aucun talent, elle vole les idées des autres maisons de couture, aidée de son assistante Delphine.

Shine, Shimmer et Glimmer

Ces trois petites créatures qui volent sont des stylistes venues du monde de la magie et qui ont le pouvoir de sublimer les robes des meilleures créatrices en ajoutant « un petit rien qui fait tout ».

1. La Princesse au petit pois

Barbie, Grace et Teresa se retrouvent comme tous les week-ends autour d'un thé glacé. Sauf qu'aujourd'hui, Barbie a une grande nouvelle à annoncer à ses amies !

- Les filles, j'ai obtenu le premier rôle dans La Princesse au petit pois ! déclare Barbie tout excitée.

- C'est super ! s'exclame Teresa. Quand commence le tournage ?

- Demain ! Et vous êtes invitées à venir me voir sur le plateau ! répond Barbie.

Le lendemain, le tournage commence par **la scène du petit pois.** Vêtue de sa belle robe de princesse, Barbie s'allonge sur le lit moelleux et fait semblant de s'endormir. C'est le moment où la reine doit glisser un petit pois sous le matelas pour vérifier qu'il s'agit d'une véritable princesse.

Mais à la surprise générale, des hommes déguisés en petits pois entrent en scène. Ils se déplacent bizarrement et poussent des hurlements :

– On est des p'tits pois **zombies !**

Sur le plateau, les amies de Barbie sont étonnées : ce n'était pas prévu dans le script !

Comment Barbie va-t-elle réagir ?

Barbie ne veut pas voir une si belle histoire **ainsi gâchée.** Calmement, elle essaye d'expliquer son point de vue à Todd, le réalisateur :

– La princesse au petit pois est un conte extraordinaire parce qu'il est simple. Ajouter des petits pois zombies risquerait de tout gâcher, tu ne penses pas ?

Mais Todd n'en fait qu'à sa tête, il est certain que les petits pois zombies sont **« super tendance »** !

Barbie insiste mais Todd est de plus en plus énervé, il n'aime pas qu'on lui tienne tête. Et finit même par penser que Barbie veut lui **voler son travail !** Fou de rage, il décide de la **renvoyer du film !** Barbie n'en revient pas, elle a perdu son rôle pour avoir simplement donné son avis ! Les larmes aux yeux, elle quitte le plateau, suivie par ses amies.

2. Une affreuse journée

De retour dans sa loge, Barbie est effondrée : **elle n'avait jamais été renvoyée !** Mais ce n'est pas tout, elle s'aperçoit que la nouvelle circule déjà sur Internet. Il y a même des commentaires méchants : « Je l'ai toujours **détestée,** quelle bonne nouvelle ! »

– Si le public déteste me voir jouer, peut-être que je devrais arrêter... lâche Barbie, désespérée.

– **Il y a des méchants partout.** Ignore-les, lui répond Grace pour tenter de lui remonter le moral.

Elles sont interrompues par la sonnerie du téléphone. **C'est Ken !** Enfin un peu de réconfort !

– J'ai décidé de rompre avec toi, **immédiatement. C'est terminé.** Alors, sois sympa, oublie mon existence, lui dit-il d'un ton sec.

– Oh ! Ken, attends ! répond Barbie dans un sanglot. Je ne comprends pas...

Cette fois, c'en est trop ! Renvoyée du film, critiquée par le public et maintenant Ken qui décide de rompre, **Barbie ne sait plus quoi faire !**

Grace décide de prendre les choses en main : tout ce dont Barbie a besoin c'est de partir et de penser à autre chose, pourquoi pas une journée shopping à Malibu ? Mais Barbie a une meilleure idée :

– Ma tante Millicent a sa propre maison de couture à Paris. Je vais aller lui rendre visite !
– Super idée ! l'encourage Teresa. Quand ?
– **Tout de suite !** répond Barbie, bien décidée à oublier ses malheurs.

Le lendemain, Ken et Raquelle sont au café. Ken aide la jeune actrice à répéter un rôle .

– Tu dois vraiment m'enregistrer ? J'ai l'air un peu ridicule, non ? demande-t-il.

– Mais non, tu es parfait ! Et ça m'aide beaucoup. Comme ça, je peux continuer à répéter quand tu n'es plus avec moi, répond Raquelle d'un air malicieux.

Grace et Teresa entrent et voient les deux

amis ensemble, elles n'en croient pas leurs yeux ! **Ken aurait quitté Barbie pour Raquelle ?**

Ken se précipite vers elles pour avoir des nouvelles de Barbie. Mais Grace et Teresa sont en colère, il a fait beaucoup de mal à leur amie :

– Ne nous prends pas pour des **idiotes !** s'exclame Grace. Elle nous a raconté ce que tu lui as dit : « Sois sympa, oublie mon existence » !

Ken comprend tout : c'est une réplique qu'il a lue hier pour Raquelle, elle a dû s'en servir pour **faire croire** à Barbie qu'il voulait la quitter ! Comment rattraper ce malentendu ? **Il faut tout de suite qu'il voie Barbie pour lui expliquer !** Grace et Teresa lui expliquent qu'elle vient de partir pour Paris.

– La journée d'hier a été affreuse pour Barbie. Tu sais ce dont elle aurait besoin pour se sentir mieux ? D'un geste noble et romantique ! Va la retrouver chez sa tante Millicent et montre-lui à quel point tu l'aimes… lui conseille Grace.

– Oui, **un geste noble et romantique,** répète Ken. Je prends le prochain avion pour Paris !

3. Bienvenue à Paris !

Barbie est enfin à Paris ! Les boutiques, les petites rues, les cafés, tout est magique et élégant ! Mais quand elle arrive enfin à la boutique de tante Millicent, Barbie déchante : **elle est presque vide !** Il ne reste que quelques cartons et des mannequins sans vêtements. Barbie commence à s'inquiéter, qu'a-t-il bien pu arriver ?

Tante Millicent apparaît. Juchée sur des patins à roulettes, elle se dirige à toute vitesse sur Barbie :
– Regarde, Barbie ! Ça roule, non ? s'écrie-t-elle, essoufflée.
Une jeune fille entre timidement dans la pièce.
– Alice, voici ma nièce, Barbie, lui dit-elle. On ne s'ennuie jamais quand elle est dans les parages. Barbie, voici Alice.
Une fois les présentations faites, Millicent annonce la mauvaise nouvelle à Barbie : **elle va fermer sa boutique !**

Barbie n'y croit pas. Comment est-ce possible ? Les créations de tante Millicent sont fantastiques !
– C'est la faute de Jacqueline, la propriétaire de la boutique d'en face, explique Alice. Elle copie les vraies stylistes, comme Millicent, du coup la presse l'adore et ne fait plus attention à personne d'autre.
– On parle encore de moi, rectifie Millicent. **Mais on ne dit plus que des choses horribles !** Et si le public n'aime pas ce que tu fais, continuer à le faire a-t-il vraiment un sens ?

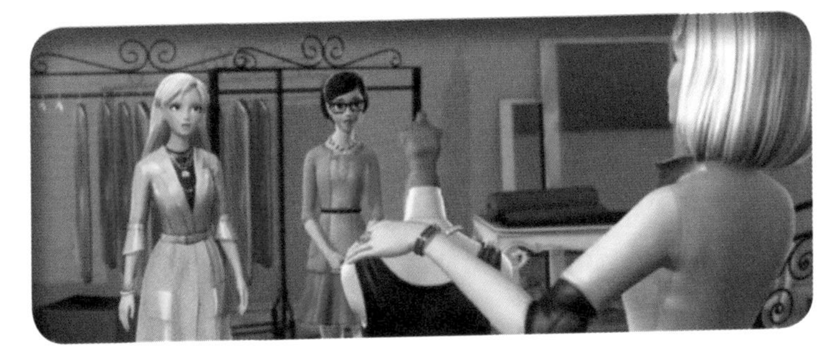

Barbie est touchée **en plein cœur.** S'il y a quelqu'un qui peut **comprendre** tante Millicent, **c'est bien elle !** C'est tellement difficile de continuer à faire ce qu'on aime lorsque le public ne suit plus ! Elle décide de soutenir sa tante et lui propose de l'aider à finir ses cartons pour le déménagement qui doit avoir lieu vendredi.

Barbie et Alice se dirigent vers le dernier étage de la boutique pour débarrasser le studio. En chemin, Alice lui apprend que dès samedi, c'est une boutique de hot-dogs qui remplacera la maison de couture de sa tante. Barbie ne peut contenir son émotion :

– Ce studio... soupire Barbie. Dans mon souvenir, il était si vivant et magique, et maintenant...

– **Magique...** Tu as bien dit qu'il était magique ? l'interrompt Alice, tout excitée.

4. Un lieu magique

Alice conduit Barbie dans le grenier. Au milieu de la pièce trône une **robe magnifique.** Barbie est en admiration, les critiques sont vraiment fous à Paris ! Les robes de Millicent sont **extraordinaires** ! Alice avoue à Barbie que c'est elle qui a dessiné la robe. C'est cet endroit si particulier qui l'a inspirée.

– **C'est un lieu magique !** s'exclame-t-elle. Dès que j'ai commencé à travailler ici, j'ai eu l'impression, comme toi, que cet endroit était unique.

Alice explique que c'est la vieille armoire à robes qui rend cet endroit si magique. La légende dit que de **mystérieuses créatures** en sortiraient pour aider les stylistes au cours des siècles !

Alice est persuadée qu'elle peut les faire apparaître, il suffit de placer une **belle création** dans l'armoire à robes et de réciter la **formule inscrite sur le mur.** Malheureusement, elle a eu beau chercher, elle n'a jamais rien trouvé d'écrit sur les murs du grenier !

Cette formule doit forcément exister ! Barbie a une idée : et si la formule était inscrite sur un mur **caché ?** Elle aperçoit un vieux chandelier qu'elle tente de faire basculer comme une poignée. Incroyable ! Le chandelier tourne et sur le mur apparaît comme par magie une vieille inscription ! Les deux amies la lisent ensemble :

« Un, deux, trois, et puis voilà !
Dans ton cœur, t'as le pouvoir ! »

Soudain, la vieille armoire à robes se met à scintiller et à trembler. Alice et Barbie sont ébahies... **La légende disait vrai !** Les portes de l'armoire s'ouvrent brusquement et **trois petites créatures** se mettent à virevolter et remplissent le grenier de leurs éclats de rire. Dans une dernière pirouette, elles s'arrêtent devant Alice et Barbie.

Les deux amies n'en reviennent pas, mais qui sont ces petites créatures si élégantes ?
– Nous sommes **Shyne, Shimmer et Glimmer.** Nous sommes des stylistes. On nous appelle **les fées de la mode.** Regardez dans l'armoire magique !
Barbie en sort la robe d'Alice **qui brille à présent de mille feux.**

– Eh oui ! Nous allons là où on nous appelle pour aider les créateurs du monde entier, et si nous aimons ce que nous voyons, nous y ajoutons le petit rien qui fait tout ! explique Shyne.

Les stylistes révèlent à Barbie et Alice que c'est la maison qui est la source de leur pouvoir. La boutique de Millicent est bel et bien **magique** ! Barbie est inquiète :

– Que se passerait-il si quelqu'un vidait la maison pour en faire une boutique de hot-dogs ? demande-t-elle.

– Nous perdrions **tous nos pouvoirs** ! s'affole Glimmer.

– **Il n'en est pas question** ! rétorque Shyne. Nous allons dire à Millicent ce que nous pensons de tout ça !

5. Un plan génial

Millicent n'en croit pas ses yeux. Barbie lui explique que les fées sont des stylistes qui ont le pouvoir d'embellir les robes. Pour la convaincre, elle lui montre la robe d'Alice.

– C'est éblouissant ! dit Millicent, admirative.

Pourtant, un problème persiste : si la tante de Barbie vend la boutique, les stylistes perdront tous leurs pouvoirs !

– Il faudrait que je dessine et que je vende une collection entière pour gagner assez d'argent et récupérer la boutique ! soupire Millicent. Et tout ça avant vendredi ! C'est impossible. **Je suis désolée...**

Millicent partie, Barbie et Alice sont abattues. **Tout est fini,** les trois stylistes vont perdre leurs pouvoirs à tout jamais et il n'y a rien à faire pour éviter ça ! Quand soudain, attirée par la beauté de la robe d'Alice, une cliente entre dans la boutique. Elle souhaite à tout prix acheter cette **superbe création.** Barbie saute sur l'occasion pour vanter les talents de styliste d'Alice et lui vend la robe. Une fois la cliente partie, les deux amies sautent de joie.

Devant le succès de la robe d'Alice, Barbie a une idée folle : Millicent ne peut peut-être pas créer une collection d'ici à vendredi, mais **Alice oui !** Et les stylistes sont d'accord pour l'aider.

– Bravo, c'est un bon plan ! s'exclame Shyne.
– Et vous pourriez organiser un **grand défilé** vendredi soir pour lancer notre collection ? ajoute Shimmer.
– Et réunir assez d'argent pour sauver **Millicent et nos pouvoirs !** applaudit Glimmer.

Voici un plan parfait pour sauver la boutique ! Les stylistes et Barbie sont sûres qu'il va fonctionner. Mais Alice a peur de ne pas y arriver.

– Attendez ! Je... **Je ne suis pas une créatrice !** s'écrie-t-elle, paniquée. Et si mes modèles ne plaisaient pas ?

Barbie est bien décidée à aider Alice, elle a tellement de **talent !** Tout ce qu'il lui faut, c'est un peu d'inspiration. Et quoi de mieux qu'une balade dans Paris pour se ressourcer ?

Grâce à Barbie, Alice trouve l'inspiration dans les rues de Paris. Les couleurs, l'ambiance et les lignes de la ville l'inspirent et elle dessine de **magnifiques robes.**

Les deux amies s'empressent de retourner au studio pour les réaliser, puis elles les placent dans l'armoire magique. Le résultat est époustouflant ! Les trois stylistes ont vraiment le don d'ajouter ce petit rien qui fait tout ! **La nouvelle collection d'Alice s'annonce fabuleuse !**

6. Les petites fées ont disparu !

Quand elle rentre à la boutique, Millicent est **impressionnée par le travail d'Alice.** Modeste, la jeune fille a du mal à accepter les compliments. Elle préfère dire que ce sont les stylistes qui en ont fait des robes magnifiques. Mais Barbie s'empresse de rappeler que **c'est bien elle** qui les a dessinées. Millicent est tellement éblouie par les créations d'Alice qu'elle ne comprend pas comment elle a pu ignorer que son apprentie avait tant de talent !

Barbie profite de l'enthousiasme de Millicent pour lui exposer son plan : **créer une collection** à partir des dessins d'Alice et organiser un grand défilé vendredi soir afin de réunir assez d'argent pour sauver la boutique. Millicent soutient les deux jeunes filles et les autorise à utiliser sa boutique pour le défilé. Mais, blessée par les critiques, elle ne veut pas les aider à l'organiser car elle a peur que sa réputation leur fasse du tort.

De l'autre côté de la rue, **Jacqueline et son assistante Delphine** observent la boutique de Millicent. Il semblerait qu'une nouvelle collection soit en préparation. **Impossible ! Millicent doit fermer boutique !** Pourtant ses robes sont magnifiques ! Comment a-t-elle fait ?

Avec des jumelles, Jacqueline aperçoit les trois petites fées de la mode qui virevoltent autour des robes. Elle décide d'enlever les petites créatures. Grâce à elles, Jacqueline est sûre d'avoir du succès et d'écraser définitivement Millicent, sa concurrente de toujours.

Quelques heures plus tard, Jacqueline et Delphine se faufilent dans la boutique de Millicent. Elles trouvent les trois petites stylistes en train de s'amuser dans le studio. En un éclair, Jacqueline **les enferme dans un sac** et les ramène dans sa boutique. Enfermées dans une cage, Shyne, Shimmer et Glimmer sont furieuses ! Jacqueline veut bien les libérer, à une condition : qu'elles rendent ses créations aussi **resplendissantes** que celles de Millicent !

Devant la menace, les stylistes acceptent, mais elles préviennent Jacqueline :

– Tes robes ne nous inspirent pas du tout, déclare Shyne. Si nous envoyons la magie, personne ne sait ce qui va se passer. Mais ce ne sera sûrement **rien de bon.**

Et en un clin d'œil, elles transforment les robes tristes et ternes en de **magnifiques tenues.**

– Ce sera parfait pour le défilé que je vais organiser vendredi ! s'exclame Jacqueline. Maintenant, je vous **garde avec moi !**

7. Toutes au travail !

De retour dans la boutique après leur balade, Alice et Barbie s'étonnent de ne pas trouver les petites fées de la mode. Elles cherchent partout, c'est comme si elles avaient **disparu !** Alice commence à paniquer, comment être prêtes à temps pour le défilé ? Millicent ne peut s'empêcher d'admirer les dernières créations d'Alice. Quel talent ! Et surtout **quel courage !** Malgré tous les obstacles, elle a persévéré et a trouvé la force de réaliser son rêve : sauver la boutique !

Devant la détresse d'Alice, Millicent décide de proposer son aide. Surprises, les jeunes filles ne comprennent pas ce qui a pu lui faire changer d'avis.

– Les critiques détestent peut-être mes créations, mais j'adore dessiner, explique-t-elle. Et je suis à nouveau inspirée... par toi, Alice ! Tu as le courage de vivre ta passion sans te soucier de l'opinion des autres. **C'est ça, avoir du style !**

Toutes au travail ! Pendant que Millicent et Alice dessinent les derniers modèles, Barbie s'attaque à la réalisation des robes. Les idées fusent et les éclats de rire aussi !

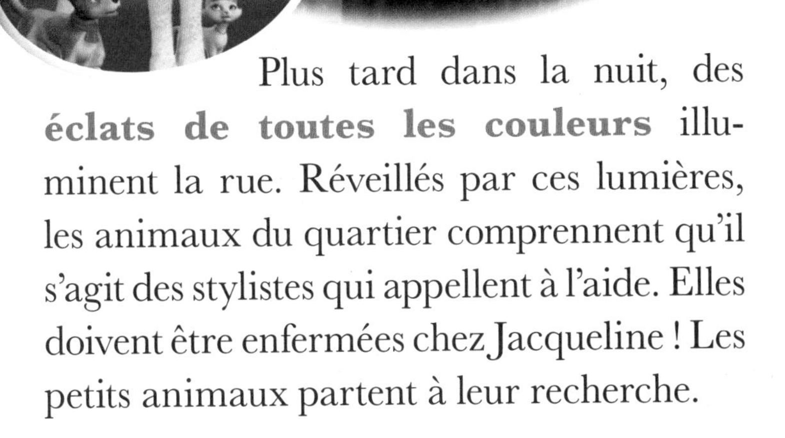

Plus tard dans la nuit, des **éclats de toutes les couleurs** illuminent la rue. Réveillés par ces lumières, les animaux du quartier comprennent qu'il s'agit des stylistes qui appellent à l'aide. Elles doivent être enfermées chez Jacqueline ! Les petits animaux partent à leur recherche.

Arrivés chez Jacqueline, ils repèrent l'endroit où sont enfermées les stylistes. Jilliana, une petite chatte agile, grimpe jusqu'à la fenêtre et pénètre dans la pièce. Les fées sont folles de joie, elles vont enfin être **libérées !** Avec ses griffes, Jilliana arrive à ouvrir la serrure de la cage, les stylistes la remercient :
– Beauté, force et intelligence ! Ça, c'est du style, Jilliana !

Le lendemain, lorsque Barbie, Alice et Millicent se réveillent, elles n'en croient pas leurs yeux !

Elles découvrent la boutique **entièrement décorée** pour le défilé de ce soir. Le podium, la lumière, les paillettes, tout y est ! Comment est-ce possible ? Derrière elles, une petite voix les interpelle :

– Shyne, Shimmer et Glimmer, à votre service !

– **Vous êtes revenues !** s'écrie Barbie. Cette fois, la maison de couture est sauvée et vos pouvoirs aussi !

8. Le défilé de mode

Le grand soir est enfin arrivé ! Pourtant la boutique de Millicent reste désespérément vide. En face, le défilé de Jacqueline est plein à craquer, même Lilianna Roxelle est là, la plus célèbre critique de mode de Paris ! Grâce à l'intervention des stylistes, Jacqueline est sûre de son succès. Le défilé commence sous les applaudissements du public.

Mais les mannequins sont à peine montées sur le podium qu'une **horrible odeur** se dégage de leurs robes. Pire, les créations de Jacqueline commencent **à fondre !** Elle comprend que c'est à cause de la magie des stylistes, elles l'avaient pourtant prévenue qu'elle était instable !

Elle essaie de retenir le public, mais en vain. Ses créations les font fuir, et ils se dirigent tous chez Millicent ! **Quel échec !**

Barbie est folle de joie ! La salle est enfin remplie ! À l'approche du grand moment, Millicent et Alice commencent à avoir très peur. **Et si elles échouaient ?**

Barbie trouve les mots pour les rassurer :
– Je sais à quel point il est difficile de croire en soi quand on a l'impression que le monde entier est contre vous. Mais vous y avez cru. **Et regardez le résultat !** dit-elle en leur montrant leur magnifique collection.

La fête peut commencer ! Sur le podium, Millicent présente sa nouvelle collection **« La magie de la mode »**.

Radieuse, Barbie défile sous les flashes des photographes. Les robes d'Alice et Millicent sont plus belles les unes que les autres. Puis vient le moment du grand final. Barbie porte **la plus belle** création d'Alice, une robe de soirée élégante et scintillante. Conquis, le public se lève et fait un tonnerre d'applaudissements pour les stylistes.

9. Comme c'est romantique !

Barbie se dirige vers les coulisses quand elle entend une voix familière. **Incroyable, c'est Ken !** Il court sur le podium et la prend dans ses bras.

– Barbie, je n'ai jamais eu l'intention de te quitter, lance-t-il essoufflé. Toute cette histoire n'est qu'un **affreux malentendu.**

J'ai fait tout ce voyage pour te prouver combien je t'aime. **Oui, je t'aime.**

– Moi aussi, je t'aime, dit Barbie.
Enfin réunis, Ken et Barbie s'embrassent tendrement.

Ils sont vite rejoints par Alice et Millicent, folles de joie. Le défilé est une réussite, elles ont même obtenu une commande de dix mille exemplaires, bien assez pour sauver la boutique !

– **C'est gagné !** On a réussi ! s'écrie Barbie. « Chez Millicent » et le pouvoir des stylistes sont sauvés !

– Oui, c’est quand **on croit en soi** que la magie se produit, ajoute Alice.
Les filles se retournent et envoient un baiser aux trois petites stylistes.

Le défilé terminé, Barbie et Ken quittent la soirée dans un **magnifique carrosse.**

Mais un jeune homme essaie de les rattraper. C'est l'assistant de Todd, le réalisateur qui a renvoyé Barbie !

– Barbie ! Le studio souhaite que tu reviennes, dit-il. Ils veulent t'engager en tant que **réalisatrice !** Alors, tu acceptes d'y réfléchir ?

– Mmm... Oui, j'y réfléchirai, lui répond-elle, amusée. Mais d'abord, nous avons **énormément de choses à fêter.**

Directeur de collection : Lise Boëll
Direction artistique : Ipokamp
Adaptation : Claire Simon
Éditorial : Céline Schmitt, Marie-Céline Moulhiac et Ophélie Doucet

Publication originale :

22, rue Huyghens, 75014 Paris
www.albin-michel.fr
ISBN 978-2-226-24086-6

Loi n°49-956 du 16 juillet 1949 sur les publications destinées à la jeunesse.

Achevé d'imprimer en France par Pollina - L64005C.
Dépôt légal : mars 2012.